فارسی بیاموزیم

کتاب اوّل

لیلی ایمن (آهی)

چاپ پاژن

فارسی بیاموزیم: کتاب اوّل

نوشتهٔ لیلی ایمن (آهی)

نقاشی از فلورا بلورچیان

خطاطی و تنظیم متن کتاب توسط چاپ پاژن (IBEX Publishers)

این کتاب دارای کتاب روش تدریس است

Persian First Grade Reader
(Fársí Biyámúzím: Ketáb-e Avval)
Revised Second Edition
by Lily Ayman (Ahy)

Manufactured in the United States of America
ISBN: 0-936347-36-8

Library of Congress Catalog Card Number: 93-61060

Published by:
IBEX Publishers, Inc.
Post Office Box 30087
Bethesda, Maryland 20824 U.S.A.
Telephone: 301-718-8188
Facsimile: 301-907-8707
www.ibexpublishers.com

A teacher's manual (in Persian) is available (isbn 0-936347-36-8)

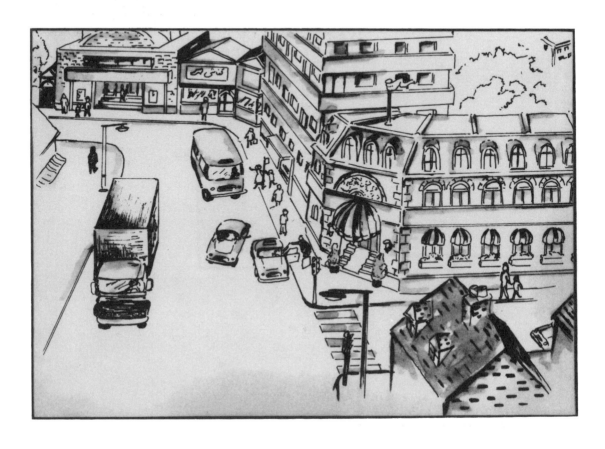

۱ - ۲ - ۳ - ۴ - ۵ - ۶ - ۷ - ۸ - ۹ - ۱۰

۲۰ - ۳۰ - ۴۰ - ۵۰ - ۶۰ - ۷۰ - ۸۰ - ۹۰ - ۱۰۰ - ۱۰۰۰

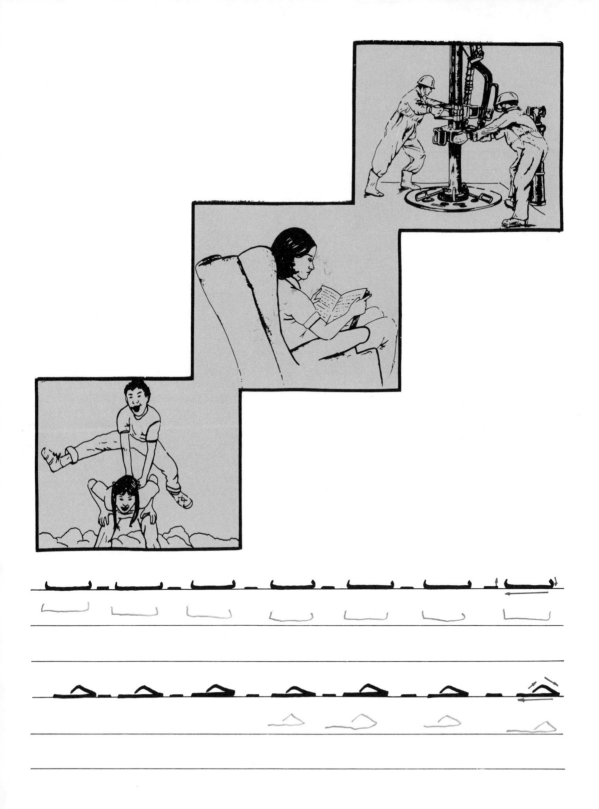

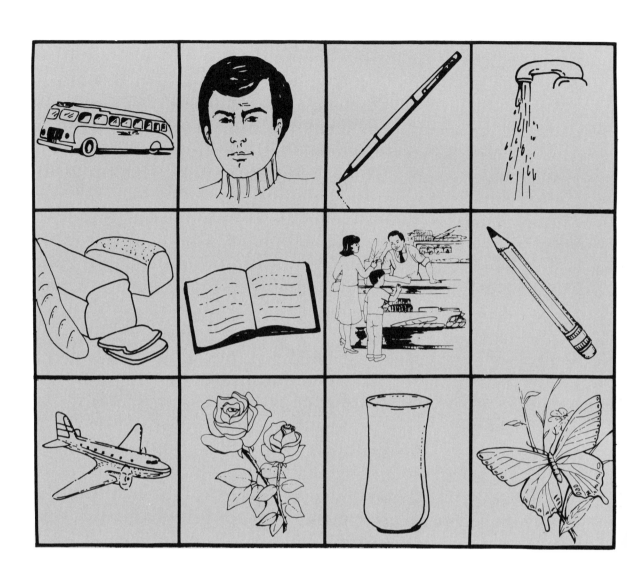

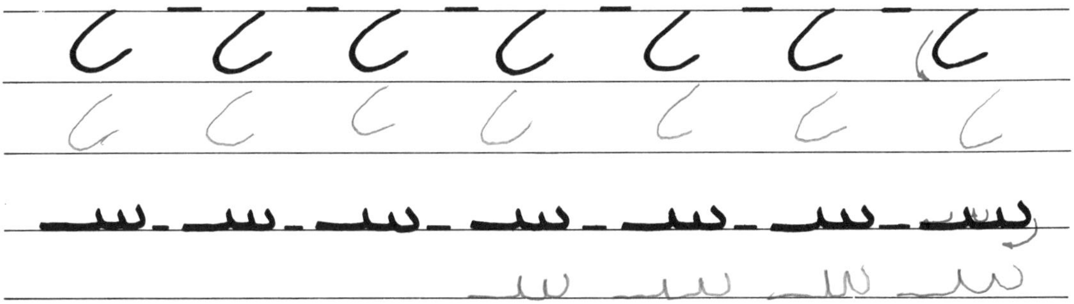

صـ صـ صـ صـ صـ صـ صـ صـ

ن ن ن ن ن ن ن

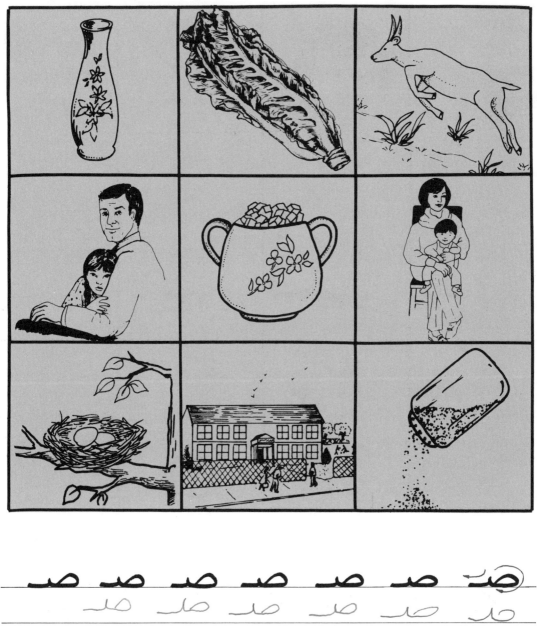

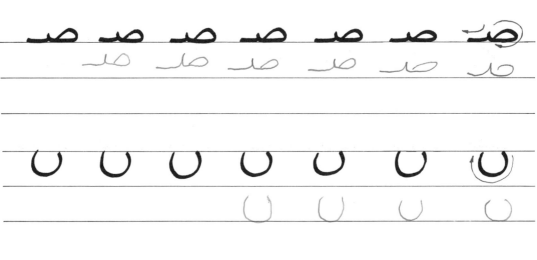

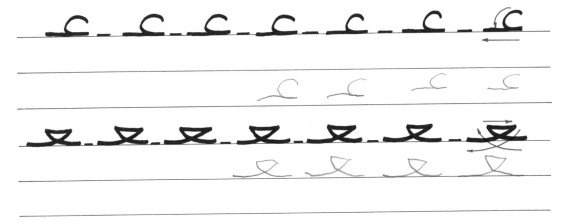

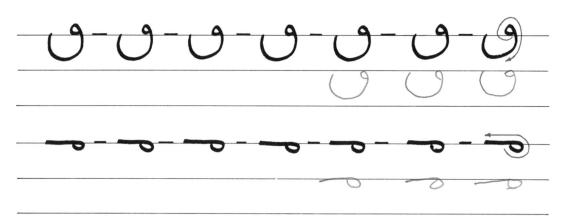

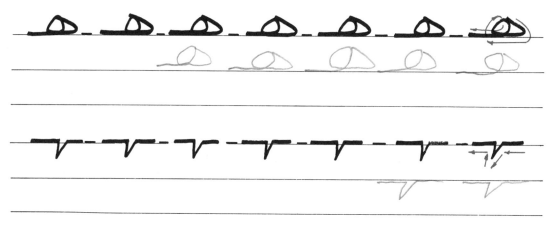

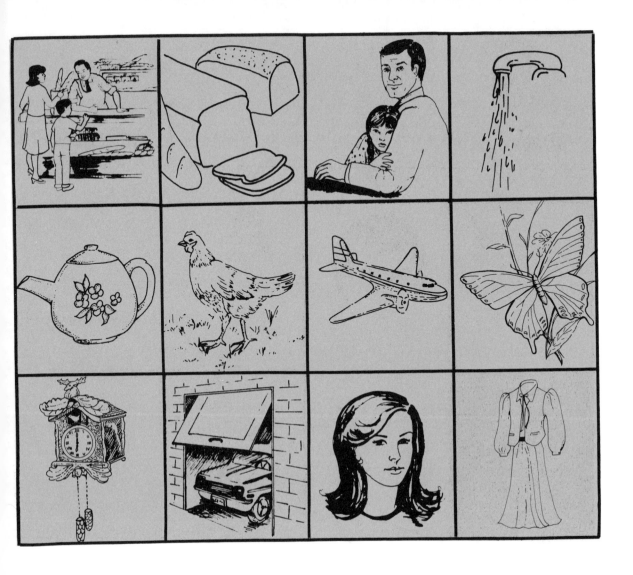

و ‑ و ‑ و ‑ و ‑ و ‑ و ‑ و

و و و و

ى ى ى ى ى ى ى

ى ى ى ى

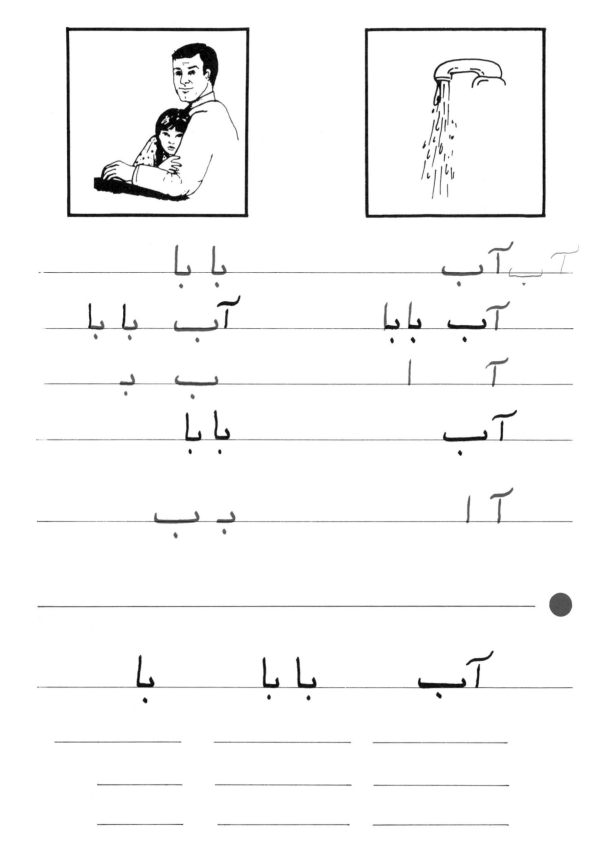

آب آب   بابا

آب بابا   آب بابا بابا

آ ا   ب ب

آب   بابا

آ ا   ب ب

آب   بابا   با

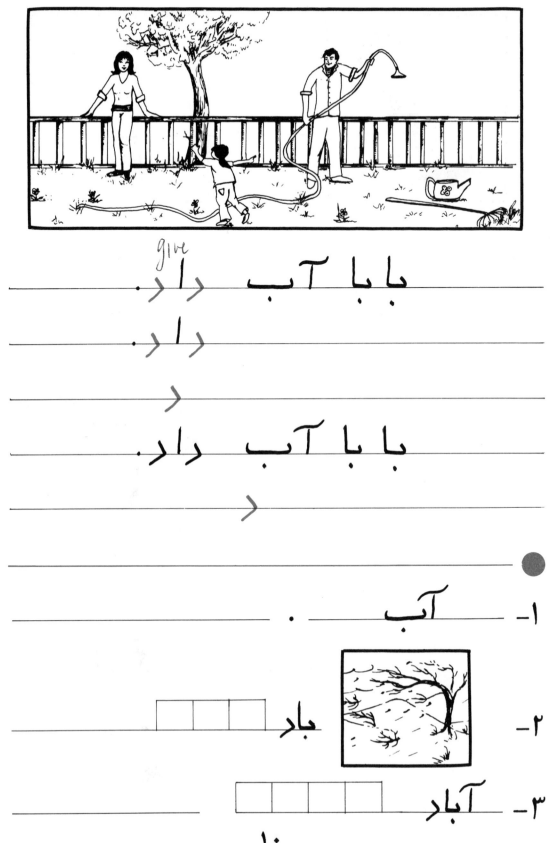

بابا آب داد.

داد.

د

بابا آب داد.

د

۱- آب .

۲- باد

۳- آباد

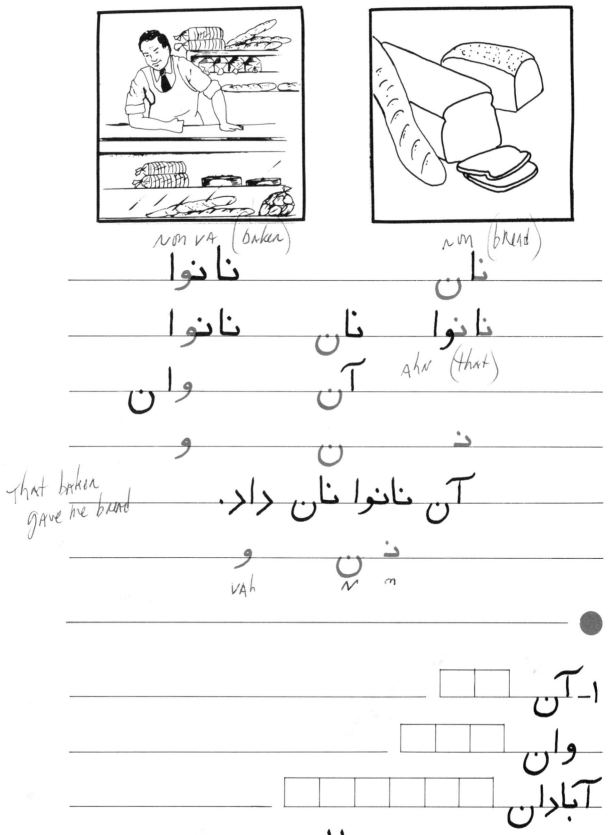

nom (bread) — nom va (baker)

نان   نانوا

نانوا   نان   نانوا

Ahn (that)

آن   وان

ﻧ   ن   و

آن نانوا نان داد.

That baker gave me bread

ﻧ   ن   و

m   n   vah

۱- آن ☐☐ ____________________

وان ☐☐☐ ____________________

آبادان ☐☐☐☐☐☐ ____________________

باران

بار

آرد

ر

باران ـ بار ـ آرد

flour *cargo* ر *rain*
bundle

۱ـ باران ☐☐☐☐☐

آرد ☐☐☐

بار ☐☐☐

دارا ☐☐☐☐

۲ـ با .... با ا ـ با .... ر ـ با ر ـ نو .... ـ آ .... د

۳ـ دانا ▯▯▯▯ _____

نادان ▯▯▯▯▯ _____

_____

۲ـ

د	و	ن ـ ن	ب ـ ب	ا ـ آ

۱۳

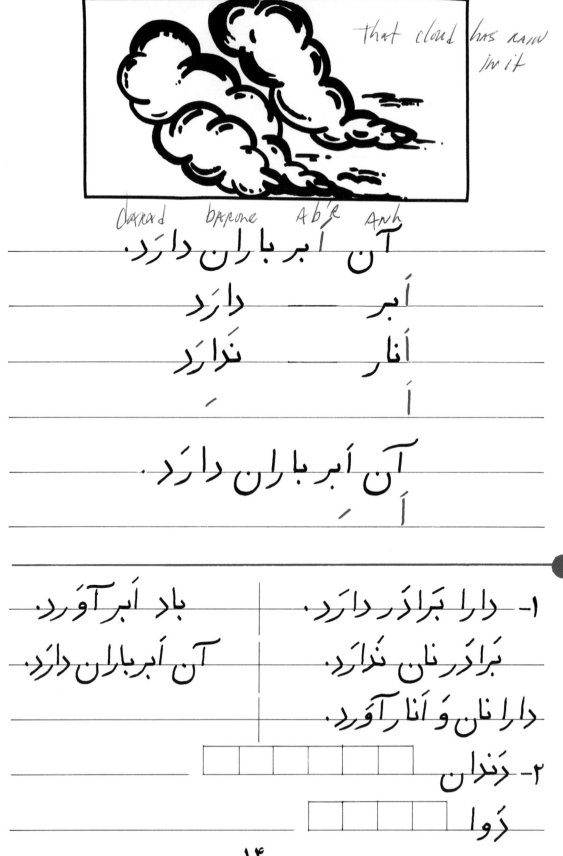

that cloud has rain in it

darad barone Ab're Anh

آن اَبر باران دارَد.

اَبر ـــــــ دارَد

اَنار ـــــــ نَدارَد

اَ ـــــــ َ

آن اَبر باران دارَد.

اَ ـــــــ َ

۱- دارا بَرادَر دارَد.
بَرادَر نان نَدارَد.
دارا نان وَ اَنار آوَرد.

باد اَبر آوَرد.
آن اَبر باران دارَد.

۲- زَندان □□□□□□

زَوا □□□□

آوَرد

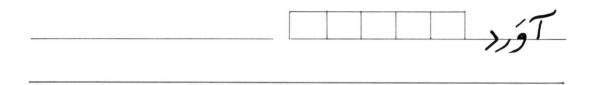

۳-

و	ر	ـنـ ن	آ ر

مَن مادَر دارَم.

مَن   دارَم

مادَر   نام

مـ   م

مَن مادَردارَم.

مـ م

۱- مَن مادَردارَم. مادَرَم مانا نام دارَد. مادَرَم
آمَد. مادَرَم بَرادَرَم را آوَرد. بَرادَرَم بادام دارَد.

۲- بَرادَرَم دانا نام .... بَرادَرم با .... آمَد.
.... بادام نَدارَم. مادَرَم .... نام ....

دَندان دَرد

بَرادَرَم دانا نام دارد. دانا دَرد دارد.

دانا دَندان دَرد دارد. دانا آرام نَدارَد.

مادرم آمَد. مادرم دَوا آوَرد. من آب

آوَردم. مادر دَوا را با آب داد.

دانا دندان درد نَدارَد.

۱- ندارم درد من دندان

نام دانا برادرم دارد

وَ آب مادرم آورد دَوا

۲- آرام

دَماوَند

سارا دَرس دارد.

سارا   دَرس

اَسب   داس

سـ   س

سارا دَرس دارد.

سـ س

۱- آن مَرد سام نام دارد. سام سَوار بَر اَسب آمَد. سام داس دارد.

۲- آن سَوار .... نام دارد. سام .... دارد.

۱۸

سارا .... دارد.

۳ـ سَر ـ

سَرد ـ

سَرما ـ

سَماوَر ـ

آسمان ـ

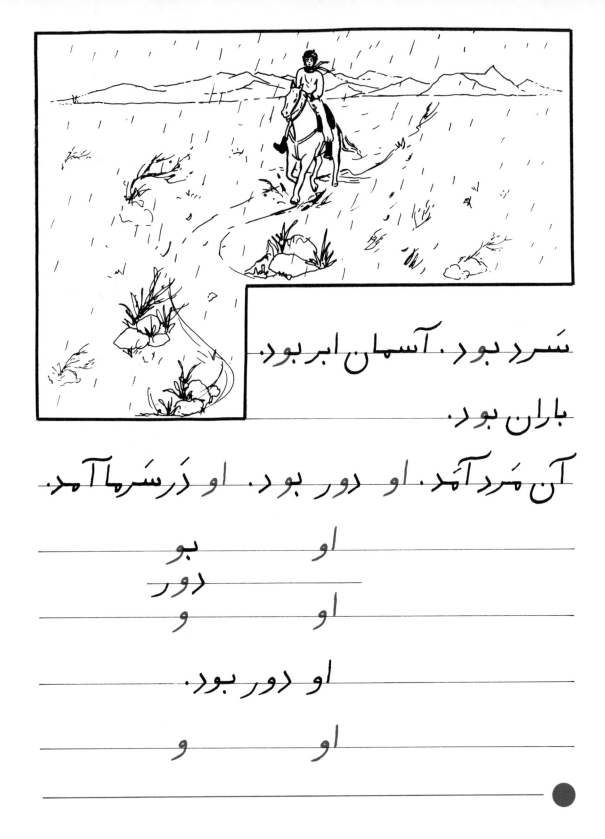

سَرد بود. آسمان ابر بود.

باران بود.

آن مَرد آمَد. او دور بود. او دَرسَرما آمد.

او بو

دور

او و

او دور بود.

او و

۱- آن مَرد آمد. او دَر سَرما آمد. او سام نام دارد.

سام با اَسب آمد. سام سَر دَرد دارد.

۲- مادر آمد. .... نان آورد.

سام دَرد دارد. .... سَر دَرد دارد.

سارا آمد. .... درس دارد.

۳-

مـ م	سـ س	ا و

او توران اَست . توران بامن دوست

اَست . توران توت دوست دارد .

توران   دوست

توت   اَست

توت

ت   ت

توران توت دوست دارد .

ت   ت

۱- من با توران دوستَم. توران در آبادان بود. او آمد

او با من و مادرم ماند. مادرم توران را دوست دارد.

۲- تاب

تَب

ماست

مَست

تار

تَر

این سیب دَر سینی اَست. دارا سیب

را برمی دارد. او سیب دوست دارد.

این سیب سینی

ایران سینی برمی دارد

ای یـ ی

این سیب در سینی است.

ای یـ ی

● تَمرین:

۱- مادرم در ایران بود. او ایرانی اَست. او ایران را

دوست دارد. او آمد. او این تار را آورد.

من می دانم ایران در آسیاست . ایران دور است .

۲- ایران ← ایرانی   مادرم .... است .

باران ← بارانی   این ابر .... است .

ابر ← ابری   آسمان .... نیست .

۳- ایران

این

سینی

نیست

آسیا

زَنبور

این زَنبور است. این زَنبور زَرد است.

زَنبور

زَرد

ز

این زَنبور زَرد است.

ز

● تمرین:

۱- آن زَن با مادرم دوست است. آن زَن زیبا نام دارد. زیبا و مادرم اَز بازار آمدند. دَر باز ماند. زَنبور آمد. برادَرم اَز زَنبور تَرسید. زیبا زَنبور را زَد تا

برادرم را نَزَنَد. برادرم زیبا را بوسید.

۲- زَن

زیبا

بازار

باز

نَزَنَد

تَرسید

بوسید

۳- زنبور برادرم اَز تَرسید

مادرم است با دوست زیبا

زیبا دارَم را دوست من

نَمَک وَ نَمَکدان

آن کودَک اَنار دارد. او نَمَکدان را بَرمی دارد.

نَمَکدان کَمی نَمَک دارد. کودَک اَنار را نَمَک می زَنَد.

کودک　　نَمَک

کَمی　　کودک

نَمَکدان

ک　　ک

کودَک انار را نَمَک زد.

ک ک

تمرین:

۱- آن کودک با دارا دوست است. او با دارا

آمد. مادر کَباب وَ نان و سَبزی آورد. کودک کَباب

را نَمَک زد. دارا نمکِ دوست ندارد. او کَباب

را با سَبزی دوست دارد.

۲- کَبوتَر

کَبک

کَباب

تَک

کار

کارمَند

تاریک

نادِر اِستِکان در دست دارد.

اِستکان اسْتِکان

اِمروز نادِر

نادِراِستکان در دَست دارد.

تمرین:

۱- دارا با نادِر دوست است. اِمروز دارا کَمی دیر از دَبِستان آمَد. او در دَبِستان ماند تا نادِر کار را تَمام کرد.

۲- اِمروز □□□□□

اِسم □□□

اِنسان □□□□

کِتاب □□□□

نِمی دانَم □□□□□□□□□

دَبِستان □□□□□□□□

۳- دَبِستان- مَن دَبِستانَم را دوست دارَم

- آمَد _____

- کار _____

- کودَک _____

این نادِر است.

نادِر بَرادَرِ توران است.

برادر ـــِـــ> توران

این کِتاب است.

این کِتابِ مَن است.

کِتاب ـــِـــ> مَن

این مِداد است.

این مِدادِ نادِر است.

مِداد ـــِـــ> نادِر

تمرین:

۱- اِستِکان ـــــ> مَن   اِستِکانِ مَن

آب ← سَرد

اَبر ← بارانی

زن ← زیبا

دبستان ← ما

کبوتر ← نادر

دست ← کودک

۲- نادر دوست نزدیک برادر من است. توران دوست من است. مادرم نیز با توران دوست است. آن زنبور زرد دست کودک را زد. دست او وَرَم کرد. مادر کودک دست او را دوا زد. اَکنون دست کودک وَرَم ندارد.

بابا نامه داده بود. بَرادَرَم دَر مَدرِسه بود.

او آمد. مادَر نامه را به او داد.

نامه داده بود

مَدرِسه گِره

بَه نَرده

ه ه

بابا نامه داده بود

ه ه

● تمرین:

۱- نامه - بابا نامه داد.

گِره -

نِویسَنده ـ

روزنامه ـ

نَرده ـ

مَدرِسه ـ

۲-

اـَ	آ ـ ا	او ـ و	اِ ـ ِ ـ ـه ـ ه

آواز ایرانی

مادرِ ما ایرانی است . دیروز دوستانِ ایرانی او آمده بودند . ما با کودکانِ آنان بازی کردیم . کمی دیرتر مادر تار زد . او تار را از ایران آورده است . آوازِ مادرم زیباست . دوستان تار و آواز او را دوست دارند .

● تمرین

۱- دوستِ من آمد . دوستان ما آمدند .

کودک بادام دارد . کودکان بادام ....

مادر نانَ داد . مادران نان ....

آن زن کودک را آوَرد . آن زنان کودکان را ....

۲- آمدن آوردن

آمدم آمدیم آوردم ....

آمدی آمدید ....

آمد آمدند ....

بابا به اَسَر میخ وتَخته داد. اَسَر با میخ و
تَخته میز ساخت.

تَخته میخ

ساخت

خ خ

اَسَر با میخ وتَخته میز ساخت.

خ خ

تمرین

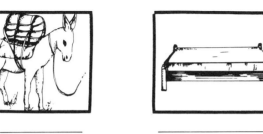

۱ـ

من در ....كتاب زیاد دارم.
این ....را بابا ساخته است.

این .... بار می بَرَد.

۲- میخ، خوب، خَراب، سَخت، تَخت

دوستِ اسد میز او را .... کرد.

مادرم .... تار می زند.

بابا .... خوبی ساخت.

ساختَنِ تَخت .... است.

اسد .... را در تخته کوبید.

۳- <u>دیکته</u>

_____

_____

_____

_____

_____

_____

آشِ رِشته

شام آماده است. ما اِمشَب آشِ رِشته داریم.
مادَر به آشِ رِشته کَشک زده است. او
کَشک را از ایران آورده است.

مادرِ دوستم در آش ماش می ریزد. من آشِ
رِشته را بیشتَر اَز آشِ ماش دوست دارم.

شام

رِشته آش

کَشک ماش

اِمشَب

بیشتَر

شـ ش

اِمشَب شام آشِ رِشته داریم.

شـ شَ ش

تمرین

۱-

س س	ش ش	ب ب	ت ت

۲- شَب ، اِمشَب ، دیشَب ، شام ، ماش

.... ما به سینما می‌رویم.

.... آسمان تاریک است.

مادر .... را آماده کرد.

برادرم .... دیر به خانه آمد.

دوستم آش .... را دوست دارد.

مُراد اُردَک دارد. اُردَک در اِستَخر شِنا می کند.

مُراد در آب نان می ریزد. اُردَک تُند نان را می خورد.

مُراد در نان دادن به اُردَک اُستاد است.

مُراد اُردَکِ خود را دوست دارد.

اُردَک مُراد می خورَد

اُستاد تُند خور

اُ ُ و

مُراد اُردَکِ خود را دوست دارد.

اُ ُ و

تمرین

۱- تُرش ، خوردَم ، خورِش ، اُستاد.

او در کارخود .... است .

سِرکه .... است .

من شام را تُند ....

بابا .... کَرو دوست دارد.

او دوست .... است .

من .... کتاب دارم .

۲- نانوا - خودَم - بور - دَوات - خوردیم - نور - خُروس

وُ = اُ	و = و	و = او

۳- دیکته

پارک پُر از کودک است. پسری با دختری توپ بازی می کند.

پارک

پُر توپ

پسر

پـ پ

پسر در پارک توپ بازی می کند.

پ پ

تمرین

۱- توپ، پسر، پرواز، پمپ، پاک، پرنده

آن .... پرویز نام دارد.

پرویز .... را با پا زد.

اردک .... است.

پَرَنده .... می کُنَد.

آن .... بِنزین دارد.

من دَستَم را .... شُستَم.

۲- بازار- پا- تَب- بِنزین- پُمپ- تاب- پِدَر

باران- تُند- پَرَنده- پرواز- پاک- بیشتر- شُستَم

ب ب	پ پ	ت ت

دوستِ پدَرَم ماشینِ جوجه کِشی دارد. او

به من پَنج جوجه داد.

جوجه   پَنج

جـ   ج

من پَنج جوجه دارم.

جـ   ج

تمرین

۱- جوجه (۴) - پَنج (۳) - جَواب - پَرواز - خَرج - پا

خور - خُدا - من - جا - جارو - باران - خانُم - جوراب

۵	۴	۳	۲

۲- جارو - جواب - خَرج - جَشن - جوراب

او در .... مدرسه شِرکَت نَکَرد.

.... من پاره شُد.

من .... آن خانُم را دارم.

پدرم خانه را .... کَرد.

جوجه کشی زیاد .... دارد.

۳- دیکته

برگِ درختان زَرد شده است . زَمینِ پارک پُر از برگِ خُشک است . خورشیدِ رنگ پَریده دیگر گَرما ندارد .

	برگ		دیگر
	رنگ		گَرما
	گ		گ

خورشیدِ رنگ پَریده دیگر گَرما ندارد .

گ گ

۱ـ سَرد ، سَرما ، گَرم ، گَرما ، خُشک ، خُشکی

در زِمِستان باد .... می وَزد .

پَس از تابِستان کم کم .... می رِسد .

آتش .... است .

۴۷

در .... دوست دارم شنا کنم.

برگِ .... درختان می ریزد.

اردک در آب و در .... زندگی می کند.

۲- روز، شب ، تُرش ، شیرین، زیبا، زِشت

خورشید در .... می تابد.

.... تاریک است.

دوستِ من .... است.

من دوست ندارم کار .... بکُنم.

سِرکه .... است.

شِکَر .... است.

گَردِشِ کنارِ رودخانه

روزِ شنبه بود . دوستانِمان با ماشین خود مارا به کنار رودخانه بُردند. کَشتیِ گَردِشی در بَندَر ایستاده بود . ما سوار آن شُدیم . کشتی رِستوران داشت . درآن رستوران بَستَنی خوردیم . پدرم دوربین داشت . با دوربین مَردُمی راکه کنارِ رودخانه گَردِش می کردند تَماشا کردیم .

خورشید کم کم در پُشتِ درختان ناپَدید شد . به بندر برگشت . ما پیاده شدیم . پدرو مادرم با دوستانِ خود کناری نِشَستَند . من با دوستم توپ بازی کردیم . شب شد . با دوستانمان به خانه برگشتیم . ما از ایشان مَمنون بودیم که مارا باخود به گردش برده بودند .

● تمرین

۱- بَستنی ، بَندَر ، دوربین ، ناپَدید ، پیاده ، مَمنون

با ...... می شود دور را خوب دید .

من دوست دارم ..... به مَدرِسه بِرَوَم .

در تابستان خوردن ..... خوب است .

مادرم از دوستمان ....است .

کشتی بزرگی به ....آمد .

کتاب دوستم ....شده است .

۲- دوستَم = دوستِ من   دوستِمان = دوستِ ما

دوستَت = دوستِ تو   دوستِتان = دوستِ شما

دوستَش = دوستِ او   دوستِشان = دوستِ ایشان

درسِ من =

دیروز آسمان اَبری بود. بَرف می بارید. بَرفِ

سِفید زمین را پوشاند. اِمروز آفتاب درآمده

است. تا شَب دیگَر بَرفی نِمی مانَد.

سِفید

آفتاب

برفی   برف

ف   ف

بَرفِ سِفید زمین را پوشاند.

ف ف

تمرین

۱- آفتاب ، برف ، اِستَخر، ابر، سرما، گرما،

بَستَنی ، بُخاری ، شِنا

تابستان	زمستان

۲ـ اُفتار ، فِرِستار ، فَردا ، کَفش ، نَفت ، کَفـ

استکان از دست من ....

دارا.............به مدرسه می رود.

.............من سوراخ است .

دوستم نامه را ....

مادرم .... گَنجه را رنگ زد.

ایران ....فَراوان دارد .

۳ـ <u>دیکته</u>

_____

_____

_____

یوسِف کتاب را از روی میز بَرداشت. یوسِف با این کتاب درسِ خود را یاد می گیرَد.

یوسِف

یار روی

ی ی

یوسِف کتاب را از رویِ میز بر داشت.

ی ی

● تمرین

۱- ایشان- یار- میز- یوسِف- یِک- می گیرَد- یَواش- ریخت- فرِیاد

ایـ ، یـ ، ی	ـیـ ، ی

۲- یَواش - آرام - یار - دوست - بِسیار - فریاد

خانه ای در آن سویِ خیابان است. در آن

خانه مَردُمِ پاکیزه ای زِندِگی می کُنَند.

خانه ای

پاکیزه ای

ای

خانه ای در آن سویِ خیابان است.

ایَ

تمرین

۱ـ کارخانه ای، پرده ای، پاکیزه ای، نوشته ای

آن خانم ....خرید .

تو دَرسَت را..............؟

پدرم در .... کار می کند .

دوستم پسرِ .... است .

۲-

ایـ	یـ	ی	ای

کرهٔ تازه

پدرِ دوستم گاوداری دارد. او از شیرِ گاو کره دُرُست می کند. کرهٔ تازهٔ او را مردم خوب می خَرَند.

دیروز دوستم کرهٔ تازه به خانهٔ ما آورد.

کرهٔ = کره ی   تازهٔ = تازه ی   خانهٔ = خانه ی

● تمرین

۱- کرهٔ ، پردهٔ ، مدرسهٔ ، پروانهٔ ، نامهٔ

.... آشپزخانهٔ ما زرد است .

.... زیبایی روی دستم نشست .

.... تازه را با نانِ گرم می خورد .

تو به .... ما نمی آیی .

.... مادر بزرگم دیروز رسید .

۲- خانه ما به مدرسه من دور نیست. من پیاده به مدرسه می رَوَم.

پُستخانه خیابان ما تازه باز شده است. دیروز پدرم نامه خود را به آن پُستخانه بُرد.

برای نوروز مادرم گُلِ بسیار خَرید: سُنبُل ، لاله وگُلِ سُرخ .

لاله گل

سنبل

ل ل

لاله گُلِ زیبایی است .

ل ل

تمرین

۱- بال ، کلاس ، لباس ، سال ، پالتو

من دوست دارم ....پاکیزه بِپوشَم .

برادرم پنج ....دارد .

در زمستان مردم ....می پوشند .

کبوتر............دارد .

سال دیگر من به ....شِشُم می روم .

۲- دَر ، دَست ، دیوار ، پا ، گوش ، پَنجَره ، لَب
شیشه ، سَر ، مو ، آجُر ، فِکر

ساختِمان	اِنسان

۳- دیکته

اِمشَب هَوا تاریک نیست. ماه در آسمان

می تابَد. سِتاره ها می دِرَخشَند.

بَه بَه ! شبِ مَهتاب بسیار زیباست.

هوا   مَهتاب   ماه   بَه بَه

ستاره ها

هـ   ـهـ   ه   ـه

در شبِ مَهتاب ماه و سِتاره ها را می شَوَد دید.

هـ   ـهـ   ه   ـه

● تمرین

۱ ـ این کَلمه ها را در سُتون خود بنویسید :

هوا ، کره ، که ، ماه ، ستاره ، مهتاب ، بِه

کَلِمه ، هَمه ، مِهرَبان

ه = اِ	ه

۲ ـ با هریک از این کلمه ها یک جُمله بِسازید و بِنِویسید :

بَه‌بَه ـ

مِهرَبان ـ

ماه ـ

هَمسایه ـ

هَوا ـ

هَمیشه ـ

چَند روز پیش ماشین ما پَنچَر شُد. مادرم خودَش

چَرخِ پَنچَر شُده را باز کرد. او چَرخِ یَدَک را سرِ

جایَش بَست. او هَر پیچ را جُدا با آچار سِفت کرد.

چند

پیچ پنچَر

چ چـ

مادرم پیچِ چرخ را با آچار سفت کرد.

چ چـ

تمرین

۱ ـ این کلمه هارا درستون خود بنویسید :

جوجه ، چرخ ، خَبَر ، خانه ، چَرم ، چای ، خوب

جَنگ ، مُچ ، سُرخ ، خَرج ، جوراب ، جُدا

خـ خ	جـ ج	چـ چ

۲ ـ این کلمه ها از جمله های زیر افتاده است .

آنها را درجای خود بنویسید .

خَبَر، جَنگ، مُچ، سُرخ، خَرج، چَرم، چای

ما از رادیو ....را شنیدیم .

او جوجه .... شده دوست دارد .

مادرم می گویَد ....خانه خیلی زیاد است .

کفشی که از ....درست شده باشد سالِمتَراست .

من از ....بدم می آید .

............آستین او دگمه دارد .

پدرم ....ایرانی را دوست دارد .

سِتاره

شد اَبر پاره پاره

چشمَک بزَن ستاره

کَردی دِل مَرا شاد

تابان شدی دوباره

دیدی که دارَمَت دوست

کَردی به مَن اشاره

چشمَک بزَن ستاره

اَزمَن مَکن کِناره

(یمینی شریف)

در اُتاقِ ما یک قالیِ ایرانی هَست. ما یک کاسه و بُشقاب و قاشُق نُقرهٔ ایران هم داریم.

قالی

بُشقاب

قاشُق قاشُق

نقره اُتاق

قـ ق

در اُتاقِ ما یک قالیِ ایرانی هست.

قـ ق

تمرین

۱ - این کلمه هارا درستون خود بنویسید.

اُتاق، فَرش، قالی، فارسی، کَف، قاشُق، فَردا، کَفش، قَند، قیمَت، آفتاب

فـ ف	قـ ق

۲ ـ هریک از این کلمه هارابه جای کلمه داخل پَرانتِز قرار دهید .
از روی هر جمله یک بار بنویسید :

قِرمِز ، قالی ، قَند ، قَشَنگ

اتاق ما (فرش) دارد .

گل شقایق (سرخ) رنگ است .

من چای را با(شِکَر) شیرین می کنم .

قالی ایران بسیار (زیبا) است .

۳ـ دیکته

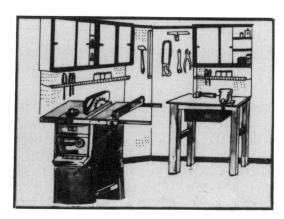

هَمسایهٔ ما نَجّار است. در کارگاهِ نَجّاری او
چَند اَرّهٔ بَرقی هَست. او دُکّانِ بُزُرگی دارد.

نَججار ← نَجّار

دککان ← دکّان

اَرره ← اَرّه

ّ

تمرین

۱ - این کلمه هارا درجای خود قرار دهید و از روی جمله ها یک بار بنویسید

نَجّار، تَوَجُّه، دکّان، مُرَتَّب، اَوّل، اَرّه

در و پنجره و تخت و میز را ....می سازد .

در ....هَمسایهٔ ما میزهایِ زیبا بسیار است .

من به درسم خیلی ....می کنم .

بَرادَرم سال دیگر به کلاس ....می رود .

لِباسِ آن آقا ....است .

دوستم می تواند با ....برقی کار کند .

۲ ـ هر دسته از این کلمه ها از یک خانواده هستند . با هـریک از آنهـا یک جمله بسازید و بنویسید :

نَقّاش ، نَقّاشی ، نَقشه ـ بَرق ، بَرقی ، بَرّاق .

ژاله خانم یک دُکّان گُلفُروشی دارد. گُلهایِ او هَمیشه

تازه هَستَند. او گُلِ پَژمُرده به کَسی نِمی فُروشَد.

ژاله

پژمرده

ژ

ژاله خانم گُلِ پَژمُرده به کَسی نِمی فُروشَد.

ژ

تمرین

۱ - هریک از این کلمه هارادر ستون خود بنویسید: پَژمُرده،

زَنبور، راه، تازه، رَفت، زِندگی، ژاکت، ژیلا، رَنگ

ر	ز	ژ

۲ - با هریک از این کلمه ها یک جمله بسازید و بنویسید :

پَژمُرده

تازه

فُروخت

ژاکِت

پاییز

بَهار

خوشمَزه

عَلی آقا یک دانِشجویِ ایرانی است. عَلی آقا با ما

دوست است. او تازه شُروع به کار کرده است.

عَلی آقا بَعد از شام سَرِ کار می رَوَد. او پولَش را جَمع می کند.

شُروع جمع بعد علی

ع ع ع ع

علی آقا بَعد از جمع کردنِ پولِ کافی کارِ تازه‌ای شُروع می کُند.

ع ع ع ع

تمرین

۱ - از روی هریک از این کلمه ها پنج بار بنویسید :

شُروع -

بعد -

جَمع -

عِلم -

مُعَلِّم -

عَمَل -

مَعلوم ـ

مَعنی ـ

تَعریف ـ

معمول ـ

۲ - هر دسته از این کلمه ها با هم از یک خانواده هستند .

با هریک از کلمه ها جمله ای بسازید و بنویسید :

جَمع ، مَجموع ـ عِلم ، مُعَلِّم ، مَعلوم ـ عَمَل ، مَعمول

آذَر ماهِ آخَرِ پاییز است. ایرانیان به آخَرین شَبِ آذَر «شَبِ چِلّه» می‌گویند. شَبِ چِلّه بُلَندتَرین شَبِ سال است. شَبِ چِلّه دیر می‌گُذَرَد.

آذَر

می‌گُذَرَد

ذ

آخَرین شَبِ آذَر بُلَندتَرین شَبِ سال است.

ذ

تمرین

۱ - این کلمه هارا درستون خود بنویسید :

می‌گُذَرَد ، دار ، دارا ، دیدم ، گُذاشتَم ، لَذَّت ، دیوار ، دیر ، آذوقه ، آذَر

ذ	د

۲ - باهریک از این کلمه ها یک جمله بسازید و بنویسید :

می گُذَرَد ـ

گُذاشت ـ

آذوقه ـ

آذَر ـ

اَذیّت ـ

لَذّت ـ

۳ـ دیکته

سال و ماه و هَفته

هرسال دَوازدَه ماه دارد . سال ایرانی با ماهِ فروَردین شروع می شود . فروَردین ماه اوّل بهار است . ماههای سال به فارسی اینها هستند : فَروَردین ، اُردیبِهِشت ، خُرداد ، تیر ، مُرداد ، شَهریوَر ، مِهر ، آبان ، آذَر ، دِی ، بَهمَن ، اِسفَند .
روزهای هفته به فارسی اینها هستند : شنبه ، یکشنبه ، دوشنبه ، سه شنبه ، چهارشنبه ، پَنجشَنبه ، جُمعه . در ایران شنبه روز اوّلِ هفته است . در ایران کمتر کسی روز جُمعه کار می کند .

تمرین

۱ ـ با هریک از این کلمه ها یک جمله بسازید و بنویسید :

شُروع

اوّل

فارسی

اینها

هَفته

هیچکَس

جُمعه

۲ ـ این کلمه هارا درجای خود بگذارید و از روی هر جمله یک بار بنویسید :

هستند ، جُمعه ، اُردیبهشت ، اِسفَند ، معلوم

اَذیَّت ، لَذَّت ، آذوقَه

درایران روز .... کسی به مدرسه نِمی رود .

تیر ، مُرداد ، شَهریور ماههای تابستان ....

در روزهای ابری خورشید ....نیست .

در بهار گردش در جَنگَل ....دارد .

...............ماه دوم سال است .

ماهِ آخر سال ....نام دارد .

ماهفته ای یک بار ....می خریم .

سرمای زیاد زمستان ما را ....می کند .

اَحَمد و مَحمود دو برادر هستند. نام مادر آنها
فَرَح است. آنها در مَحَلّهٔ ما زِندِگی می کنند.
ما گاهی بَرایِ تَفریح با هَم به پارک می رَویم.

تَفریح اَحمد
فَرَح مَحمود
مَحَلّه

ح ـحـ

فَرَح خانم با اَحَمد و مَحمود برایِ تَفریح به پارک رَفتند.

ح ـحَـ ـحـ

تمرین

۱ ـ این کلمه هارادر ستونهای خود بنویسید:

تَفریح، مَحَل، هفته، مَحمود، مهتاب، می دَهَد
مَحَلّه، اِستِراحَت، مَسیح، مَسیحی، هَمه، مِهر

ح ـحـ	هـ ـهـ ـه ه

هـ ـهـ ـه ه	ـح ح

۲ ـ باهریک از این کلمه ها یک جمله بسازید و بنویسید :

مَحَلّه

تَفریح

راحَت

مَسیحی

اِستِراحت

مُحکَم

حَمله

فَصلهای سال

سال چهار فَصل دارد. هر فَصل سال نام مَخصوص به خود دارد. بَهار، تابِستان، پاییز و زِمستان فَصلهای سال هستند.

فَصل مَخصوص

مَخصوص

صـ ص

هر فصل میوه های مَخصوص به خود دارد.

صَـ ص

تمرین

۱ - از روی هریک از این کلمه ها پنج بار بنویسید :

صَندَلی ـ

تَصمیم ـ

قِصّه ـ

صَحرا ـ

خاص ـ

خَواص ـ

۲ ـ این کلمه ها را در جای خود بگذارید و از روی جمله ها بنویسید :

قِصّه ، مَخصوص ، صَندَلی ، فَصل ، صَحرا ، تَصمیم

من .... گرِفته‌ام فارسی را خوب یاد بگیرم .

صَمَد از شنیدن ....خیلی لذّت می بَرد .

در ....درخت و گیاه کم پیدا می شود .

برای آموختنِ فارسی ، ما از کتاب ....استفاده می کنیم .

مادر بزرگ روی ....راحَتی نِشَسته است .

زمستان سردترین ....سال است .

۳ـ دیکته

مَن و خواهَرَم خیلی دوست داریم کتاب
بِخوانیم. ما خواندنِ کتابهایِ فارسی را تازه
شُروع کَرده ایم. خواندَنِ فارسی برای ما آسان
نیست. ما از مادر خواهِش می کنیم به ما کُمَک کند.

خواهر

بِخوانیم

خواندَن

خواهِش

خوا ← خا

تمرین

۱ - باهریک ازاین کلمه ها یک جمله بسازید و بنویسید :

خواهر -

می خوانَم -

خواهش ـ

خواب ـ

تَختِخواب ـ

می خواهَد ـ

۲ ـ جواب هریک از این سو آلها را در چند جمله بنویسید :

کتاب خواندن چه فایده هایی دارد ؟

چرا شما می خواهید فارسی یاد بگیرید ؟

بیشتَر خانه های ایرانی حوض دارد . از آبِ
حوض برای آب دادَن گلها اِستِفاده می کنند.
آبِ حوض را نِمی خورَند تا مَریض نَشَوند . اگر
مَریض شَوند باید به مَریضخانه بِرَوند.

حوض

مَریضخانه   مَریض

ض   ض

هرکَس مَریض شود باید به مَریضخانه بِرَوَد.

ض ض

تمرین

۱ ـ از روی هریک از این کلمه ها پنج بار بنویسید :

حوض ، مَریض ، مَریضخانه ، رِضا ، مَرَض ،

قَرض، حَضرَت

۲ ـ این کلمه هارادر ستون مَخصوص خود بنویسید:

صُبح، حوض، مَریض، عَصر، فَصل، قَرض،
مَریضخانه، خَواص، رِضا، مَخصوص، فاصِله

ص ـ ص	ض ـ ض

طاهِره خانم دوستِ مادر بُزُرگ است.

طاهِره خانم خَیّاط است. او خوب خَیّاطی می کند. مردم به او خوب مُزد می دَهَند.

طاهِره

خَیّا ط

خَیّاطی

ط

طاهِره خانمِ خَیّاط خوب خَیّاطی می کند.

ط

تمرین

۱ - از روی هریک از این کلمه ها پنج بار بنویسید:

طاهِره، خَیّاط، مُطلَب، حَیاط، طَبل، خَط

طَرَف، طِب، طَبیب، عَطر

۲ - این کلمه ها را درستون مخصوص خود بنویسید :

تِکرار ، حیاط ، مَطلَب ، می تَوانَد ، مَربوط ، تَمام ،
اِستِفاده ، هَفته ، طَبیب ، طَرَف ، تَمیز ، خَط

ط	ت

اسم خالهٔ من ثُرَیّاست. خاله ثُرَیّا مِثل مادرم خانه‌دار است. او نمی‌گُذارد اَثاثِ خانه کَثیف شود.

ثُرَیّا

مِثل

اَثاث اَثاث

کَثیف

ث ـث

اَثاثِ خانه را نبایَد گُذاشت کَثیف شود.

ث ـث

تمرین

۱ - از روی هریک از این کلمه ها پنج بار بنویسید:

ثُرَیّا، کَثیف، مِثل، مِثال، اَثاث، ثابِت، ثُلث، ثَبت

۲ - هریک ازاین کلمه هارادر ستون مَربوط به خود بنویسید:

مِثل، سارِه، عَصر، صُبح، اَثاث، ثُلث، خَواص، ساکِت، مِثال، تَصمیم، فاصِله،

سوسک ، ثَبت

ث ـثـ	ص ـصـ	س ـسـ

۳. دیکته

خاله ثُرَیّا آدَم مُنَظَّمی است. او در همه کار

نَظم و تَرتیب دارد. به هَمین دَلیل خانه و محلِّ

کارَش همیشه مُنَظَّم و پاکیزه است.

نَظم

مُنَظَّم

ظ

آدَمِ مُنَظَّم در همه کار نَظم و تَرتیب دارد.

ظ

● تمرین

۱ - از روی هریک ازاین کلمه ها پنج بار بنویسید:

نَظم، مُنَظَّم، اِنتِظار، مُنتَظِر، نَظَر، مَنظَره، ظُلم،

ظالِم، مَظلوم، نِظافَت

۲ - این کلمه هارادر ستون مربوط به خود بنویسید:

اِنتِظار، زَرد، ذِکر، تَذَکُّر، مُنتَظِر، مَزبور، لِذَّت،

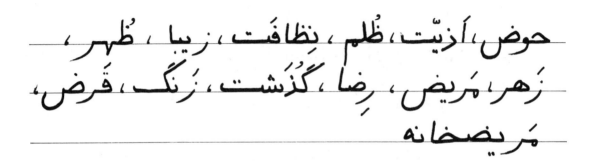

حوض، اَذیّت، ظُلم، نِظافَت، زیبا، ظُهر،

زَهر، مَریض، رِضا، گُذَشت، زَنگ، قَرض،

مَریضخانه

ظ	ض ض	ذ	ز

دیروز غُروب با مادرم به خیابان رَفتیم. خیابان خیلی شُلوغ بود. همه مَغازه ها را برای عِید چِراغانی کرده بودند. در یکی از مَغازه ها صدای جیغ شِنیدَم. کودَکی دَستَش را با تیغ بُریده بود. مادرش او را بَغَل کرد و بوسید. دَستَش را هم دَوا زد و بَست تا دیگر خون نَیایَد.

غُروب مَغازه جیغ شُلوغ

چِراغانی بَغَل تیغ

غـ ـغـ ـغ غ

شبِ عید مَغازه ها چراغانی می کُنند. شَهر شُلوغ
می شَوَد. بَچّه ها از شادی جیغ می کِشَند.

غ غ غ غ

● تمرین

۱ - از روی هریک از این کلمه ها پنج بار بنویسید :

غُروب ، شُلوغ ، مَغازه ، چِراغانی ، بَغَل ،
عَرَق ، تیغ ، غَذا

۲ - هریک از این کلمه ها را درستون مربوط به خود بنویسید :

غَذا ، قُفل ، قیمَت ، مَغازه ، غُروب ، فَندوق
قورباغه ، باغ ، قاشُق ، قِرمِز ، بَغَل ، شُلوغ

ق ق	غ غ غ غ

جَدوَلِ اَلِفبا

اکنون صداها و شکلهای همه حَرفهایِ اَلِفبایِ فارسی را می شِناسید .

اَلِفبایِ فارسی سی و دو حرف دارد . هریک از ایـن حرفهـا اِسـمی دارَد . از روی این جَدوَل اسم حرفها و تَرتیبِ آنهارایاد بگیرید .

شکلِ حَرف	اسمِ حَرف
ا	اَلِف
ب ب	بِ
پ پ	پِ
ت ت	تِ
ث ث	ثِ
ج ج	جیم
چ چ	چِ
ح ح	حِ
خ خ	خِ
د	دال
ذ	ذال
ر	رِ
ز	زِ
ژ	ژِ
س س	سین
ش ش	شین

شکلِ حَرف	اسمِ حَرف
ص ص	صاد
ض ض	ضاد
ط	طا
ظ	ظا
ع ع ع ع	عین
غ غ غ غ	غین
ف ف	فِ
ق ق	قاف
ک ک	کاف
گ گ	گاف
ل ل	لام
م م	میم
ن ن	نون
و	واو
ه ه ه ه	هِ
ی ی	یِ

۱ ـ جواب این سوآلهارابنویسید :

ـ الفبای فارسی چند حرف دارد ؟

ـ آیا تِعدادِ حرفها و صداها مُساوی هستند ؟

۲ ـ حروف الفبا را به ترتیب حِفظ کُنید .

۳ ـ این کلمه هارا به ترتیب حرفهای الفبا پشت سرهم بنویسید :

طُلوع ـ ثُرَیّا ـ غُروب ـ ابر ـ ظُهر ـ ژاکِت ـ

قوری ـ ذُرَّت ـ جوجه ـ نان ـ مادر ـ لاله ـ

مُنَوَّر ـ یِک ـ چوب ـ فَصل ـ باران ـ خانه ـ

سَبَز ـ توت ـ عَمو ـ حِساب ـ گاو ـ پَرَنده ـ

کُمَک ـ زَنبور ـ وَسَط ـ هَوا ـ صُبح ـ شیر ـ

روز ـ دوست .

کِشوَرِ ایران

ایران کِشوَری است در آسیایِ غَربی . اگر به این نَقشه نِگاه کنید می بینید که ایران بین کشورهای شورَوی ، تُرکیه ، عِراق ، پاکِستان و اَفغانِستان قرار گرفته است . ایران از شُمال به دَریایِ خزر و از جنوب به خلیج فارس و دریای عمان راه دارد .

مَردُمِ دنیا ایران را به چند چیز می شناسند : یکی به
قالیهایِ زیبا و پُر دَوامش که کارِ دستِ صَنعَتگرانِ زَحمَتکِش آن است .
دیگر به نفت فَراوانَش که از راه خَلیجِ فارس به همه دنیا برده می شود .
مردمی که کِتابخوان هَستَند و تاریخ و اَدَبیات را خوب می شِناسَند می دانَند که ایران یکی از قَدیمی تَرین کشورهای جهان است . آنها نامِ نویسندگانی چون فِردوسی و سَعدی و حافِظ و خَیّام را خوب می شِناسَند .
اگر ایران را خوب بِشناسیم آن را دوست خواهیم داشت .
اگر ایران را دوست بِداریم کوشِش خواهیم کرد که آن را آزاد و آباد نِگه داریم .

● کلمه ها و تَرکیب های تازه :

پُر دَوام = چیزی که دیر خراب می شود . چیزی که دَوامِ بسیار دارد .

صَنعَتگَر = کسی که هُنَر و صنعتی را خوب می داند .

● پُرسِش : ۱ - در شمالِ ایران چه کشوری قرار دارد ؟

۲ - قالیهای ایران را چرا هَمه می شِناسَند ؟

۳ - کشتی ها از چه راهی نَفتِ ایران را به همه دنیا می بَرَند ؟

۴ - سَعدی و فِردوسی و خَیّام و حافِظ چه کسانی بودند ؟

● تمرین

۱ - این کلمه ها از جمله های زیر اُفتاده است . آنهارا درجای خود بُگذارید و از روی جمله های کامل شده یک بار بنویسید:

پُردَوام ، پُرخَرج ، پُرگُل ، پُررَنگ ، پُرپُشت

داشتَنِ کارگاهِ قالیبافی بسیار............است .

باغ نباتات شهرما خیلی ....است .

پارچه های نایلونی ....هستند .

ازاین مداد خوشم می آید چون ....می نویسد .

خواهرم موهای زیبا و ....دارد .

شَهرهای ایران

ایران کِشور بزرگی اَست . ایران کوههای بُلَند و دَشتهای پَهناوَر دارُد . دَماوَند بلَند تَرین کوه ایران اَست .

تهران بزرگترَین شَهر ایران اَست . مَجلِس و وِزارَتخانه های ایران هَمه دَر تِهران هَستَند . تهران پایتَخت ایران اَست .

شیراز یکی اَز قَدیمی تَرین شَهرهای ایران است . شیراز بسیار زیبا اَست . گلهای سرخ و نَرگِس شیراز مَعروف اَست . آرامگاهِ سَعدی و حافِظ دَر شیراز اَست .

اِصفهان یکی دیگر از شَهرهای بزرگ و قدیمی ایران اَست . خیابان چهارباغ و مَسجِدهای زیبای اصفهان بسیار تماشایی اَست .

آبادان ، هَمِدان ، یَزد ، تَبریز ، اَهواز ، کِرمان و مَشهَد هَم از شَهرهای مهم ایران هَستند .

مَردُمِ ایران چه از شَهر باشَند ، چه اَز روستا ، چه فارسی حَرف بِزَنَند چه ترکی و کُردی هَمه ایرانی هَستَند . ایرانیان اَز هَر دین و مَذهَبی که باشند ایران را دوست دارَند .

هَمه ایرانیان آرزو دارَند که ایران هَمیشه آزاد و آباد باشد .

- کلمه های تازه

آرامگاه = بَنای روی قَبر

پَهناور = بزرگ ، وَسیع

روستا = دِه

● پرسش :

۱ - بلنَد ترین کوه ایران چه نام دارد ؟

۲ - آرامگاه سعدی و حافظ درکُجاست ؟

۳ - چه چیزهای اصفهان تماشایی است ؟

۴ - آرزوی همه ایرانیان چیست ؟

● تمرین

۱ - با کشیدن خط هریک ازکلمه های ستون طرف راست را به کلمه مربوط
آن در ستون چپ وصل کنید :

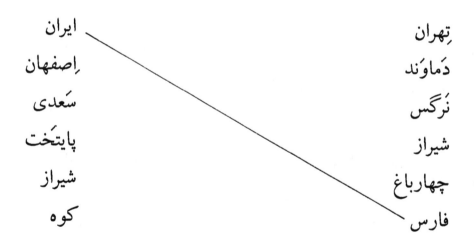

تِهران	ایران
دَماوَند	اِصفهان
نَرگس	سَعدی
شیراز	پایتَخت
چهارباغ	شیراز
فارس	کوه

۲ - جواب پُرسِشهای درس را بنویسید .

نوروزِ باستانی

نوروز مهمترَین و قَدیمی تَرین عید ایرانیان اَست . نوروز جَشن سال نو ایرانیان اَست .

اَوَلین روز نوروز اَول سال ایرانی و روز اَوَل بَهار اَست .

ایرانیان از چَند روز به عید مانده خانه های خود را پاکیزه می کنَند . سَبزه سَبز می کنند .شیرینی می پَزَند . برای شروع سال سُفره هَفت سین می چینَند . به هِنگام شروع سال جَدید هَمه اَعضای خانواده بَرسَر سفره هفت سین می نِشینند . دعا می خوانند و تَندُرُستی و موفقیت آرزو می کنَند . بَعد فرارِسیدن نوروز و سال جَدید را به یکدیگر تَبریک می گویَند . بسیاری اَز ایرانیان دراین موقع به یکدیگر عِیدی می دَهند .

دَرایران جَشن نوروز سیزدَه روز طول می کِشَد . روز سیزدهم هَمه بَرای گَردش به باغهای پرشکوه و کِنار جویبارها می رَوَند . سَبزه هارادرآبِ رَوان می ریزند . آن روز را همه سعی می کنند که به خوبی و خوشی برگزار کنند . به این روز ایرانیان «سیزده بدَر» می گویند .

- کلمه های تازه :

باستانی = قدیمی

تَندُرُستی = سلامت

جَدید = نو

هِنگام = موقع

● پرسش

۱ - نوروز برای ایرانیان چه اَهَمیّتی دارد ؟

۲ - قبل از عید نوروز ایرانیان چه می کنند ؟

۳ - درموقع شروع سال ایرانیان چه می کنند ؟

۴ - «سیزه بدر» به چه روزی گفته می شود ؟

● تمرین

۱ - باهریک از این کلمه ها یک جمله بسازید :

عید ، آرزو ، جدید ، نوروز ، خوشی ، جشن .

۲ - از روی هریک از این کلمه ها پنج بار بنویسید :

مهمترین ، اعضا ، موفقیت ، موقع ، طول .

OTHER TITLES OF INTEREST FROM IBEX PUBLISHERS

AN INTRODUCTION TO PERSIAN
by Wheeler M. Thackston
A comprehensive guide and grammar to the Persian language for the English speaker.
0-936347-29-5

HOW TO SPEAK READ & WRITE PERSIAN
by Hooshang Amuzegar
Book and three audio cassettes.
0-936347-05-8

THE LITTLE BLACK FISH
By Samad Behrangi
Bilingual edition of the classical children's story.
0-936347-78-3

A MILLENNIUM OF CLASSICAL PERSIAN POETRY
by Wheeler M. Thackston
A guide and introduction to reading classical Persian poetry.
0-936347-50-3

PERSIAN-ENGLISH / ENGLISH-PERSIAN LEARNER'S DICTIONARY
by Yavar Dehghani
1-58814-034-2

AN ENGLISH-PERSIAN DICTIONARY
by Dariush B. Gilani
0-936347-95-3

A LITERARY HISTORY OF PERSIA
by Edward G. Browne
The classic survey of Persian history and literature in four volumes.
0-936347-66-X

To order the above books or to receive a catalog contact:
IBEX Publishers, Inc.
Post Office Box 30087 / Bethesda, Maryland 20824
Telephone 301-718-8188 / Facsimile 301-907-8707
www.ibexpublishers.com

Publication information is on reverse of Persian title page

Persian First
Grade Reader

Lily Ayman (Ahy)

IBEX Publishers
Bethesda, Maryland